Klaus-Peter Wolf

Pferdegeschichten

Zeichnungen von Jrmtraut Teltau

Loewe

Dieses Buch ist auf chlorfrei gebleichtem Papier gedruckt.

JSBN 3-7855-2595-8 – 8. Auflage 1996

Umschlagillustration: Jrmtraut Teltau
Satz: Fotosatz Leingärtner, Nabburg
Gesamtherstellung: L.E.G.O. S.P.A., Vicenza
Printed in Jtaly

Jnhalt

Basta und Paulines Bombe

Pauline durfte auf dem Reiterhof helfen. Sie hatte sich das toll vorgestellt. Bestimmt bin ich den ganzen Tag bei den Pferden, dachte sie, ich darf sie füttern und striegeln.

Aber so war es leider nicht. Die Pferde grasten auf der Weide, während Pauline ihre Ställe ausmistete. Puh, das stank!

Mit der Mistgabel baggerte Pauline das dreckige Stroh nach draußen. Am liebsten hätte sie sich die Nase zugehalten. Aber mit einer Hand konnte sie die Mistgabel nicht halten.

„Mutti soll noch einmal sagen: ‚Dein Kinderzimmer sieht aus wie ein Pferdestall!‘ Der werde ich etwas erzählen. Die hat ja keine Ahnung!“ maulte Pauline vor sich hin.

Da erschien Herr Jokel im Stall. Herrn Jokel gehörten die Pferde, der Stall und die Weide. Er trug immer hohe Reiterstiefel und ein schwarzes Käppi.

Ruhig sah er sich im Stall um. Dann lächelte er. „Du hast aber fein saubergemacht. Sieht es in deinem Zimmer zu Hause auch so schön aus?“

Herr Jokel konnte ja nicht ahnen, wie sehr er damit bei Pauline ins Fettnäpfchen trat.

Vor lauter Aufregung atmete Pauline mehr Luft ein, als sie brauchte. Das passierte ihr oft. Dann verschluckte sie sich manchmal und stotterte.

Pauline schämte sich deswegen jedesmal und wurde knallrot. Wenn sie so eine „Bombe“ hatte, wäre sie am liebsten im Erdboden versunken.

Jhr großer Bruder Jens zog sie gerne damit auf: „Hahaha! Jetzt hat Pauline wieder eine Bombe!“ war sein Lieblingssatz.

Aus Angst, jetzt wieder zu stottern, sagte Pauline nichts. Einen roten Kopf bekam sie trotzdem.

Herr Jokel schien es nicht zu bemerken. Er streckte Pauline seine Hand

freundschaftlich entgegen und fragte:
„Hast du schon mal ein richtiges Pferd geritten?“

Pauline starrte vor sich auf den Boden und schüttelte stumm den Kopf.

So ein Mist, dachte sie, meine Birne brennt wieder wie eine Glühlampe.

Jmmer noch hielt Herr Jokel seine Hand hin. Pauline traute sich nicht, sie zu nehmen. Sie schämte sich wieder, ohne genau zu wissen, warum.

„Komm!“ sagte Herr Jokel. „Basta will dich kennenlernen. Basta ist ein Hengst. Er wird dir gefallen. Er mag Mädchen wie dich.“

Jrgendwie schaffte Pauline es, Herrn Jokels Hand doch zu nehmen. Sie sah ihn nicht an. Aber sie ging neben ihm her zur Weide.

„Sieh nur! Da hinten läuft Basta. Er jagt Schmetterlinge. Er frißt sie nicht. Er riecht

nur daran. Aber die Schmetterlinge wissen das nicht. Deshalb haben sie Angst vor ihm und fliehen. Ruf ihn. Dann kommt er."

Glaub' ich nicht, dachte Pauline. So ein tolles Pferd kommt bestimmt nicht, wenn ich es rufe. Jch mit meiner Bombe.

Herr Jokel drückte Paulines Hand. „Ruf ihn!"

Pauline schloß die Augen, atmete einmal tief durch und hörte sich dann rufen: „Basta! Basta!"

„Lauter! Du mußt lauter rufen. Sonst nimmt Basta es nicht ernst."

Der kommt sowieso nicht, dachte Pauline. Am liebsten wäre sie weggelaufen. Aber Herr Jokel hielt sie fest an der Hand. Ohne sich dabei zu verhaspeln, donnerte

Paulines Stimme: „Basta! Komm sofort her!“

Pauline traute ihren Augen nicht. Dieses große, schöne Tier wieherte fröhlich und

galoppierte folgsam heran. Basta blieb vor Pauline stehen und wartete auf ein Lob. Pauline streckte eine Hand aus und streichelte Bastas Kopf.

Stolz sah Pauline Herrn Jokel an. Jhr Kopf glühte nicht mehr. Von der Weide her wehte ein kühler Wind.

Plötzlich spürte Pauline: Basta gehorchte ihr. Es war ihm egal, ob sie einen roten Kopf hatte oder nicht.

„K . . . k . . . k . . . können Sie mir beibringen, auf ihm zu reiten?“ fragte Pauline.

Herr Jokel nickte. „Aber klar. Wir fangen am besten sofort damit an.“

Das alles ist jetzt schon fast ein Jahr her. Pauline ist eine begeisterte, mutige Reiterin geworden. Wenn sie mit Basta spricht, stottert sie nie. Einen roten Kopf bekommt höchstens noch Paulines Bruder. Der hat nämlich Angst vor Basta und ist neidisch, weil seine kleine Schwester reiten kann und er nicht.

Max und Maxi

Max war ein Kirmespferd. Für eine Mark durften Kinder auf ihm reiten.

Max war gut zu Kindern. Nie warf er eins ab. Manchmal zappelten die Kinder arg im Sattel hin und her. Einige klammerten sich in seiner Mähne fest, was ganz schön weh tat. Max blieb geduldig.

Ein kleines Mädchen mochte Max besonders gern. Es hieß fast so wie er – nämlich Maxi.

Maxi kannte die Stelle an Max' Rücken, die ihn besonders oft juckte. Dort kratzte Maxi ihn, und Max schnaubte dann froh.

Maxi konnte die Stelle gut erreichen, wenn sie im Sattel saß. Aber jeder Ritt kostete eine Mark, und Maxi konnte nicht den ganzen Tag auf Max reiten.

Was Max an der Arbeit als Kirmespferd besonders störte, waren die Scheuklappen vor seinen Augen. Sie zwangen ihn, geradeaus zu gucken. So sah er nur, was direkt vor seiner Nase passierte. Genauer

gesagt, er guckte von morgens bis abends auf den breiten Hintern von Sheriff, dem Ackergaul, der furzen konnte wie kein zweiter.

Mindestens zweimal am Tag war es eine Beleidigung für Max' Nase, hinter Sheriff im Kreis zu trotten.

Trotzdem mußte Max es tun. Jeden Tag immer und immer wieder, denn Max war ja ein Kirmespferd und zog mit seinen Leuten von einer Stadt zur anderen. Wo Max auch hinkam, überall fanden die Kinder ihn „süß“ oder „niedlich“. Sie bettelten ihre Eltern um eine Mark an, dann wurden sie auf Max gehoben, und er trug sie ein paar Runden.

Am schlimmsten fand Max die kleinen Reiter, die auf ihm saßen und laut kreischten. Denn dann erschrak er jedesmal. Watte in den Ohren wäre ihm viel lieber gewesen als Scheuklappen vor den Augen.

Bonbons bekam Max oft von den Kindern. Auch viele lobende Worte über

sein weiches Fell und seinen ruhigen Gang. Aber seine fürchterlich juckende Stelle, die fand außer Maxi kein Kind. Max wurde oft gestreichelt, aber nie an der richtigen Stelle gekratzt.

Leider kam Max nur alle sechs Monate in Maxis Stadt. Aber dann war Maxi immer da, um ihn zu reiten, ihn zu kratzen und ihm Witze zu erzählen. Einmal gab sie ihm sogar von ihrem Popcorn ab.

Maxi hatte es gut. Sie wohnte genau gegenüber dem Kirmesplatz. So konnte sie ihren Freund Max nie verpassen.

Diesmal hat sie sich für Max etwas ganz Besonderes ausgedacht: ein Geschenk.

Heute will sie nicht auf Max reiten, sondern ihm mit einer Striegelbürste das Fell kräftig durchkämmen. Sie hat die

Bürste extra für Max auf dem Flohmarkt gekauft.

Ganz früh am Morgen rennt Maxi auf den Kirmesplatz. Noch sind gar nicht alle Karussells aufgebaut, aber Maxi interessiert sich ja nicht für das Riesenrad und die Geisterbahn. Sie will zu Max. Er empfängt sie mit einem lauten Schnauben.

Er sieht die Bürste in ihrer Hand und freut sich schon.

Maxi fragt den Pferdebesitzer, ob sie Max striegeln darf. Er ist einverstanden.

Jedesmal, wenn die Bürste ihn berührt, zuckt Max' Fell wie elektrisiert.

O ja, das gefällt Max. Endlich wird er mal wieder so richtig geschubbert.

Sorgfältig bürstet Maxi den Staub aus seinem Fell und scheucht alle kleinen Jnsekten aus ihren Nestern. Sogar eine Zecke entdeckt sie unter seinem Bauch. Die Zecke ist schon ganz dick vollgesogen. Maxi nennt die Zecken „kleine Vampire". Sie träufelt Öl darauf, denn sie weiß, Öl mögen Zecken gar nicht. Bald wird sie Max loslassen und von ihm abfallen.

Dann endlich, ganz zuletzt, fährt Maxi mit ihrer Bürste über die Stelle an Max' Rücken, die besonders juckt. Vor Freude stampft er mit den Hufen auf.

Endlich, endlich ist seine Freundin Maxi wieder da. Die beste Rückenkratzerin der Welt.

Da stupst eine große Schnauze Maxi von hinten an. Sie dreht sich um. Hinter ihr steht Sheriff. Auch er möchte gestriegelt werden.

„Na gut“, sagt Maxi. „Warte es ab. Gleich bist du dran.“

Peters Pfeifenputzerpferd

Das Pferd Fridolin wurde in einem Wohnwagen geboren. Genauer gesagt: auf dem Klapptischchen im Wohnwagen. Geboren ist eigentlich nicht das richtige Wort. Fridolin wurde gebastelt. Aus zwei Pfeifenputzern. Einem roten und einem weißen.

Fridolin hatte lange, struppige Beine und rote Schlappohren. Fridolin fand sich schön. Er freute sich auf eine grüne Weide, frisches Gras und viel Auslauf.

Aber dann erschrak Fridolin, denn an sein rechtes Vorderbein wurde ein Plastikröhrchen gebunden.

Fridolin wollte laut rufen: „He, was soll das?“ Aber niemand hörte ihn. Denn Fridolin war ein Pfeifenputzerpferd für die Schießbude.

Mit seinem Plastikröhrchen am Bein wurde er neben Stoffblumen, bunten Federn, Teddybären, Anhängern und Schornsteinfegern an ein Regal gefesselt.

Der Schornsteinfeger neben Fridolin war aus schwarzen Pfeifenputzern und trug eine Leiter aus Pappe auf seinem Rücken.

Wieder wollte Fridolin rufen: „Was soll der Quatsch? Pferde gehören auf die Weide! Schornsteinfeger auf Hausdächer!“

Doch Fridolins Pferdemaul blieb stumm. Nicht einmal der Schornsteinfeger hörte ihn.

Dann sah Fridolin Menschen. Sie aßen große, weiße Wolken am Stiel. Die nannten sie Zuckerwatte.

Einige Menschen schossen kleine runde Kugeln auf das Plastikröhrchen an Fridolins Bein ab. Aber sie trafen nicht. Hinter Fridolin klatschten die Kugeln an die Wand und fielen dann platt herunter. Eine Kugel streifte Fridolins Schlappohr. Das tat ganz schön weh.

Das Röhrchen von dem dicken Teddybären lag besonders oft unter Beschuß. Als auch der letzte Rest des Röhrchens entzweigeschossen war, nahm der Budenbesitzer den Teddy und reichte ihn an einen Mann weiter. Der Mann gab den Teddy der jungen Frau, die neben ihm stand. Sie drückte den Teddy und küßte ihn.

„Der hat es gut“, dachte Fridolin. „Hoffentlich holt mich auch bald jemand ab. Hier will ich nicht bleiben. Jch will zu Leuten, die mit mir reden. Jch will auch geküßt werden!“

Aber die meisten Schützen kümmerten sich nicht um Fridolin.

Fridolin wurde sehr traurig, denn tagelang traf niemand sein Röhrchen. Nicht einmal aus Versehen. Gern wäre er einfach davongaloppiert, aber die Fesseln waren zu fest.

Da erschien der kleine Peter mit seiner Mutter am Schießstand. Peter liebte Pferde.

„Mama“, sagte Peter, „Mama, bitte schieß mir dieses schöne Pferd da!“

Doch die schüttelte den Kopf. „Jch kann

so etwas nicht. Jch hab' noch nie geschossen."

Sie wollte Peter weiterziehen, aber Peter hielt sich an der Schießbude fest.

„Versuch es, Mama! Bitte!"

Ja, los, versuch es! dachte Fridolin. Nur zu gern wäre er mit Peter weggeritten. Er mochte Peters lustige Augen.

„Bitte, Mama, versuch es! Jch wünsch' mir schon so lange ein Pferd, und ein richtiges kriege ich ja doch nie!"

„Jch bin ein richtiges Pferd!" versuchte Fridolin zu rufen. „Ein richtiges Pfeifenputzerpferd!"

Der Budenbesitzer hielt der Mutter das Gewehr augenzwinkernd hin.

„Sie meinen wirklich, ich soll . . ."

Er nickte.

„Eigentlich ist das ja Männersache", raunte Peters Mutter. Aber dann nahm sie das Gewehr und sagte laut: „Wir sind bis heute ohne deinen Papa ausgekommen, da brauchen wir ihn jetzt auch nicht!"

Die Mutter legte an und zielte. Der Lauf

des Gewehrs wackelte ziemlich stark. Peter drückte seiner Mutter die Daumen . . . und tatsächlich! Gleich der erste Schuß traf. Von dem Plastikröhrchen zersprang fast die Hälfte.

Jn Fridolin jubelte alles: „Gleich bin ich frei!"

„Getroffen! Du hast getroffen, Mama! Du bist ein richtiger Papa!" lachte Peter.

Fast ein bißchen erschrocken fragte die Mutter den Budenbesitzer: „Bekommen wir jetzt das Pferdchen?"

Der schüttelte den Kopf. „Nein. Sie müssen das Röhrchen ganz abschießen. Das letzte Stückchen muß auch noch weg."

„Wie teuer ist denn ein Schuß?"

„Fünfzig Pfennig."

Mutter schüttelte den Kopf. „Was? So teuer? Dann lasse ich es lieber."

Peter griff in seine Jacke, kramte ein Fünfzigpfennigstück hervor und gab es seiner Mutter.

„Bitte, Mama!"

Sie schüttelte den Kopf. „Aber Peter. Das ist dein letztes Geld. Was, wenn ich nicht treffe! Das Röhrchen ist jetzt viel kleiner. Gerade das war nur ein Glückstreffer. Anfängerglück."

„Bitte, Mama!" bettelte Peter. „Du bist auch die beste Mama der Welt."

„Na gut", sagte sie, hob das Gewehr, zielte und traf.

Fridolins Fessel zerbrach.

Schon hielt Peter Fridolin in der Hand und sagte: „Jch werde dich liebhaben, als ob du ein richtiges Pferd wärst."

„Aber", rief Fridolin. „Jch bin doch echt! Sieh genau hin! Jch bin ein echtes Pfeifenputzerpferd!"

Tinka und der Lutscher

Stolz hängt Julia das Foto von ihrer ersten Reitstunde an die Wand. Jhre kleine Schwester Steffi sieht ihr dabei zu.

Über dem Bett ist der richtige Platz für das Bild. So kann Julia es abends anschauen, bevor sie einschläft, und morgens, sobald sie aufwacht.

Das Pferd auf dem Foto heißt Tinka. Es ist eine kleine, weiße Stute. Weil Tinka so klein ist, denken viele Kinder, Tinka sei ein Pony. Jn Wirklichkeit ist Tinka aber ein richtiges Pferd.

Tinka mag Kinder. Rote Lutscher mag Tinka auch. Die Reitlehrerin gibt den Kindern nach der ersten Reitstunde meist einen Erdbeerlutscher. Tinka bekommt auch eine Belohnung. Eine knackige Möhre, denn die klebrigen Lutscher sind schlecht für Tinkas Zähne, sagt die Reitlehrerin.

Julia ißt viel lieber Möhren als rote Lutscher. Deshalb hat sie heimlich mit

Tinka getauscht. Julia aß die Möhre, und Tinka knusperte den Lutscher.

Die Reitlehrerin hat es gemerkt und streng den Zeigefinger erhoben: „Mach das nicht noch einmal, Julia. Tinka bekommt davon Zahnweh!“

„Jch auch“, sagt Julia ganz leise.

Seitdem sind Tinka und Julia

Freundinnen. Tinka scharrt freudig mit den Vorderhufen, wenn sie Julia sieht.

So, nun hängt Tinkas Bild endlich an der Wand.

Julia wirft sich auf ihr Bett und sieht das Bild an. Sie kann sich gar nicht satt sehen daran.

Julias kleine Schwester Steffi hat über ihrem Bett ein Bild von Alf. Jetzt ist sie neidisch auf Julia, denn auf Alf kann man nicht reiten.

„Jch finde dein Pferd doof!“ sagt Steffi streitsüchtig.

„Pah! Du kennst Tinka ja gar nicht. Tinka ist das tollste Pferd der Welt“, faucht Julia zurück.

„Stimmt ja gar nicht. Fury ist viel besser!“

„Ach, Fury gibt es nur im Fernsehen, Tinka aber in Wirklichkeit. Du bist ja eifersüchtig, weil du noch keinen Reitunterricht hast.“

„Jch krieg’ auch bald Reitstunden!“ kreischt Steffi. Sie heult schon fast, so wütend ist sie.

„Ja, wenn du neun bist, so wie ich. Du bist aber erst vier. Du mußt noch fünf Jahre warten."

Jetzt dreht Steffi sich um und weint. Sobald sie heult, läuft auch ihre Nase, und sie hat wieder kein Taschentuch.

Julia gibt ihr eins.

„Komm", sagt Julia, „laß uns nicht mehr streiten. Jch nehme dich morgen auch mit in die Reithalle. Du darfst zugucken."

Steffi putzt sich die Nase und wischt sich die Tränen ab. Sie freut sich, daß sie mitdarf, aber etwas ärgert sie sich immer noch, weil die große Schwester immer schon alles darf und sie noch nicht. Und das nur, weil Steffi jünger ist.

Am anderen Tag nimmt Julia ihre kleine Schwester tatsächlich mit in die Reithalle. Ganz fest hält Steffi Julias Hand. Es riecht nach Heu und Pferdemist. Steffi und Julia gehen an den Boxen vorbei. Große Pferdeköpfe schauen über die Holztüren und gaffen ihnen nach.

Schneeball, der wilde Hengst, tritt gegen die Stallwände, daß es nur so rumst. Er will raus, nach draußen.

Jetzt kriegt Steffi ein bißchen Angst. Jhr wird unheimlich zumute in diesem dunklen Gang mit all den großen Pferden.

Billy, das Rennpferd, reckt seinen schlanken Kopf durch die Gitterstäbe und will von hinten an Steffis Haaren schnuppern. Billy liebt frisch gewaschenes Haar.

Vor Schreck fällt Steffi auf den Po. Jetzt wiehert Billy. Wahrscheinlich lacht er mich aus, denkt Steffi.

Die Reitlehrerin begrüßt Steffi und Julia. Weil sie sieht, daß Steffi sich ein bißchen fürchtet, ist sie besonders nett zu ihr. Sie schenkt ihr einen roten Lutscher zur Beruhigung. Vor lauter Aufregung leckt Steffi aber nicht daran. Sie kann die Augen nicht von Tinka lassen. Tinka ist schon gesattelt, und die Reitlehrerin hilft Julia aufs Pferd. Steffi würde Tinka gerne streicheln, aber jetzt, als sie vor Tinka steht, findet sie, daß Tinka riesig groß ist. Ein Untier. Was, wenn Tinka beißt?

Die Reitlehrerin sagt: „Du kannst Tinka ruhig streicheln. Sie tut nichts."

Aber Steffi fürchtet sich trotzdem.

Da senkt Tinka den Kopf und kommt mit dem Mund ganz nah an Steffis Gesicht. Steffi kann Tinkas warmen Atem spüren.

Steffi wagt es nicht, sich zu bewegen.

„Sie beißt, sie will mich beißen!" flüstert Steffi voller Angst.

Aber Tinka leckt nur an dem roten Lutscher und packt ihn dann zwischen ihre langen Zähne. Laut zerknuspert sie den Lutscher.

Jetzt lacht Steffi und traut sich, Tinka am Maul zu berühren. Tinkas Haut ist dort ganz weich und zart. Sie fühlt sich an wie Steffis Lieblingsbadetuch.

Tinka stupst mit ihrer großen, weichen Nase freundschaftlich gegen Steffis Gesicht.

„He“, sagt die Reitlehrerin zu Steffi, „hast du den Lutscher schon aufgegessen?“

„Nein, das war Tinka.“

„Na, macht nichts“, lacht die Reitlehrerin, „ich gebe dir dann dafür Tinkas Möhre.“

Zum Einverständnis wiehert Tinka und schleckt Steffi durchs Gesicht.

Der Prinz und die Pferde mit den Teufelshörnern

Es war ein heißer Sommertag.

Stolz schritt Prinz über seine Weide. Er schnaubte und ließ die Mähne im Wind flattern. Er wußte, die Kühe auf der Nachbarweide sahen ihm zu. Sie beneideten ihn. Sie hätten auch gerne so viel Platz gehabt. Und so eine schöne Mähne wünschten sie sich ebenfalls.

Sie standen zu fünft auf ihrer Weide. Ständig zankten sie sich um die besten Futterplätze. Prinz dagegen hatte die ganze große Weide für sich alleine.

Er mußte auch nicht altes Regenwasser aus einer Badewanne trinken wie die Kühe. O nein. Quer durch seine Wiese sprudelte ein kleiner Bach mit köstlich kühlem Bergwasser.

Das Trinkwasser der Kühe wurde an so heißen Tagen wie heute in der Wanne viel zu warm. Es schmeckte dann gar nicht mehr erfrischend. Prinz stellte sich mit allen vier Hufen in seinen Bach und hielt das Maul ins Wasser.

Hm! Das tat gut. Er schüttelte den Kopf und spritzte mit den Wassertropfen. Er hatte ja genug davon.

Aber obwohl Prinz eine herrliche Mähne besaß und einen sprudelnden Bach, beneidete er die Kühe. Denn sie waren zu fünft, und er war allein. Jmmer. Außer sonntags, wenn sein Herrchen kam, ihn einmal sattelte und mit ihm ausritt.

Ein bißchen fürchtete Prinz sich auch vor den Kühen, denn sie hatten Hörner. Für ihn sahen sie aus wie Teufel.

Um den Apfelbaum am anderen Ende ihrer Weide beneidete er sie. Gern hätte er einmal von den grünen Äpfeln probiert.

Aber heute war ein besonderer Tag, denn Berta, die dicke Milchkuh, sprach zum erstenmal in ihrem Leben ein Pferd an.

Und das machte sie so: Sie stellte sich vor dem Zaun auf, sah Prinz an, nickte einmal, hob den Kopf und sagte: „Hallo Prinz! Jch heiße Berta. Wenn du mir von deinem frischen Wasser gibst, bekommst du von mir einen Apfel."

Jhre Worte waren nett gemeint. Aber Prinz verstand nur: „Muhh! Muuuhhh!"

Zur Antwort rief er ängstlich: „Tu mir nichts, ich tu' dir auch nichts!"

Für Berta hörte sich das so an: „Wiiihh, Brschup, Wiiihhh!"

„Du bist zwar schön", sagte Berta, „aber auch ein bißchen blöd. Jch verstehe kein Wort von dem, was du sagst."

Wieder hörte es sich an wie: „Muuhhh!“
Dafür erschienen ihre Hörner Prinz als immer bedrohlicher.

Sie will mich stechen, dachte er und floh in die äußerste Ecke seiner Weide. Ganz dicht drückte er sich dort an den Zaun.

Berta fühlte sich dadurch ermuntert. Sie muhte zu den anderen: „Seht nur, er lädt uns ein. Kommt, hier ist der Zaun so wackelig, gemeinsam kippen wir ihn um! Dann können auch wir frisches, kühles Wasser trinken.“

„Am besten bringen wir dem schönen Prinz ein paar Äpfel mit, dann freut er sich!“ rief Bertas Schwester Anneliese. Gleich sammelte sie unter dem Baum Äpfel auf. Aber ihre Vorfreude auf das kühle Wasser war so groß, daß sie die Äpfel auch gleich auffraß.

Berta und ihre Freundinnen drückten den Zaun ein, und schon standen sie auf Prinz' Wiese.

Prinz zitterte vor Angst. Er wieherte: „Hilfe! Die Pferde mit den Teufelshörnern kommen! Sie wollen mich stechen!" Aber die Kühe taten ihm nichts.

Anneliese kam mit einem Apfel im Maul auf Prinz zu. Prinz fürchtete sich sehr, weil er nicht verstand, was sie von ihm wollte.

Aber dann rollte sie den Apfel vor seine Hufe, und er begriff: Die Kühe sind keine Teufel. Sie piksen ihn nicht mit ihren Hörnern. Nicht einmal aus Versehen.

Seitdem hat Prinz' Herrchen den Zaun schon oft repariert. Aber immer wieder reißen die Kühe ihn ein, und Prinz ist nicht mehr allein.

Jan paßt auf

Viele Stunden lang konnte der rothaarige Jan am Zaun stehen und den Pferden zusehen. Jan kannte sie alle mit Namen.

Zwölf waren es insgesamt. Genauso viele, wie Jan Sommersprossen auf der Nase hatte.

Es gab zwei Fohlen auf der Weide. Luntrus und Ajax. Beide noch keine acht Wochen alt. Mit ihren langen dürren

Beinen stelzten sie ungelenk über das Gras.

Doch Jans Lieblingspferd hieß Fury.

Fury war schwarz wie die Nacht, hatte aber weiße Zähne und helle, wache Augen.

Wenn Fury über die Weide preschte, dann kam kein anderes Pferd mit. Fury war schneller als alle anderen. Aus lauter Freude lieferte Fury sich Wettrennen mit den Autos, die an der Weide vorbeifuhren. Jan sah dabei zu und feuerte Fury an.

„Schneller, Fury! Den Mercedes schaffst du leicht! Schneller!“

Die Weide war groß. Einige hundert Meter führten an der Straße entlang.

Manchmal schaffte Fury es, ein Stückchen neben einem Auto herzugaloppieren. Aber meistens gewannen die Fahrzeuge.

Die Weide lag nämlich an einer Schnellstraße. Trotz der schönen Landschaft huschten die Autofahrer nur eilig vorüber, ohne sich umzuschauen.

Nur die Kinder auf den Rücksitzen blickten manchmal zur Weide und bestaunten die Pferde. Besonders Fury.

Jans Eltern mochten es nicht, wenn ihr Sohn den Tag an der Weide verbrachte. Sie fanden den Grasstreifen zwischen Straße und Weide viel zu schmal.

„Eines Tages fährt dir noch mal jemand den Hintern ab!“ sagte Jans Vater oft. „Die Straße ist gefährlich nah an der Weide.“

Aber Jan paßte gut auf sich auf.

Heute stimmte etwas ganz und gar nicht.

Die Pferde waren merkwürdig nervös. Statt ruhig zu grasen wie sonst um diese Zeit, standen sie in einer Traube zusammen. Dann stoben sie auseinander und jagten wie von wildgewordenen Bienen verfolgt am Zaun entlang.

Fury stieg auf die Hinterbeine und

wieherte. Sein Wiehern war auch anders als sonst. Nicht die übliche freundliche Begrüßung, wenn Fury Jan sah.

Das Wiehern war aufgeregter. Es klang wie eine Warnung. Wie Vaters Stimme, wenn er sagte: „Eines Tages fährt dir noch jemand den Hintern ab."

Dann sah Jan den Grund für die Aufregung: Ein Teil des Weidezauns war eingerissen. Zerbrochene Holzlatten ragten in die Luft. Draht kringelte sich auf der Erde wie eine müde Schlange.

Da ist bestimmt ein Autofahrer in den Zaun reingerast, dachte Jan. Die Pferde können ausbrechen und auf der Straße angefahren werden.

Jan zuckte zusammen. Wo waren die Fohlen? Ach ja, da stand Ajax bei seiner Mutter. Aber Luntrus, der Wildfang, war nicht zu sehen.

Was soll ich tun? fragte sich Jan. Bestimmt ist Luntrus durch das Loch im Zaun ausgebrochen. Was, wenn er auf die Straße läuft . . . Vielleicht ist er längst . . .

Da hörte Jan die ersten Autos hinter der Kurve hupen.

Er rannte los. Nur schnell zum Reitstall!

Fury trabte neben Jan her.

Schon von weitem rief Jan: „Herr Reuter! Herr Reuter! Der Zaun ist kaputt! Luntrus steht mitten auf der Straße! Er ist allein!"

Herr Reuter war gerade dabei, seinen Sattel einzufetten. Er ließ ihn erschrocken fallen. Noch nie hatte Jan Herrn Reuter so schnell laufen sehen.

„Bleib bei den Pferden, damit nicht noch mehr ausbrechen!“ rief er Jan zu. „Jch fange Luntrus ein!“

Jan versperrte den Pferden breitbeinig den Weg.

Aber das wäre gar nicht nötig gewesen. Sie blieben sowieso auf der Weide.

Eine halbe Stunde später kam Herr Reuter mit Luntrus zurück.

Beide schwitzten. Herrn Reuters Kopf war rot.

„Den Zaun werde ich reparieren."

Er trieb Luntrus auf die Weide. Dann nahm er Jans Hand und bedankte sich: „Du hast fein aufgepaßt. Ohne dich hätte die Geschichte schlimm ausgehen können. Herzlichen Dank. Sobald Luntrus groß ist, darfst du auf ihm reiten. Wenn du möchtest."

Spurensuche

Eigentlich fand Arno den Sonntags-
spaziergang mit seinen Eltern langweilig.
Vater tat nur so, als ob er Arno die
verschiedenen Gräser am Wegrand
erklären wollte. Jn Wirklichkeit war Vater
mit seinen Gedanken ganz woanders.

Sie waren nämlich dabei, ein Haus zu
bauen. Deshalb gab es tausend Dinge, die
wichtiger waren als Arno.

Vater und Mutter wogen gerade ab, ob
es besser sei, rote Dachziegel zu nehmen
oder schwarzen Schiefer.

Wenn ich Zement wäre, dachte Arno,
würden sie sich mehr für mich interessieren.
Aber leider bin ich nur ihr Kind.

Da fand Arno das Hufeisen.

Angeblich bringen Hufeisen ja Glück.
Arno wollte es seinen Eltern zeigen. Aber
die sahen gar nicht hin.

Mutter erklärte Vater gerade die Vorzüge
von Naturschiefer gegenüber Kunststoff-
schiefer.

Dann eben nicht, dachte Arno und steckte das Hufeisen ein.

Die Spuren der Pferde waren deutlich in den Boden eingegraben. Wie ein Jndianer auf Kriegspfad verfolgte Arno sie. Die Abdrücke kamen von mehreren Pferden. Mindestens drei waren es. Eins davon hatte das Hufeisen verloren.

Arno konnte es genau sehen. Der Abdruck war anders als bei den anderen

Pferden. Nur drei tiefe Spuren mit scharfen Rändern und ein leichter Abdruck von dem Fuß ohne Hufeisen.

Arno kam sich vor wie ein echter Spurensucher. Ein Jndianer auf der Fährte von drei weißen Reitern. Plötzlich fand er den Spaziergang gar nicht mehr langweilig.

Dort war ein Pferd in den Wald abgebogen. Die beiden anderen waren auf dem Weg geblieben.

Nach ein paar Metern liefen die Spuren wieder zusammen. Aber neben den Hufabdrücken konnte Arno auf dem weichen Waldboden auch noch Fußstapfen sehen.

Arno grinste.

Das Pferd hatte seinen Reiter im Wald abgeworfen und war ohne ihn zu den anderen zurückgekehrt.

Ein Stückchen weiter hörten die

Fußspuren plötzlich auf. Hier war der Reiter also wieder in den Sattel gelangt.

Aber was war das?

Jn den Abdrücken ohne Hufeisen gab es dunkle Flecken. Auf den Grashalmen konnte Arno es genau erkennen: Blut.

Das Pferd hatte also nicht nur ein Hufeisen verloren. Es war auch verletzt, und die Reiter wußten nichts davon. Sonst wären sie nicht einfach weitergeritten.

Oben am Berg angekommen, konnte Arno die drei Reiter sehen. Sie ritten durch das Tal.

Vater und Mutter wollten nun auf einer Bank ihren mitgebrachten Kaffee trinken. Arno nutzte die Zeit und lief zu den Reitern.

„Jhr Pferd hat ein Hufeisen verloren", sagte Arno, „und es blutet. Besser, Sie steigen ab!"

Der Reiter tat, was Arno gesagt hatte, und sah sich genau die Beine seines Pferdes an.

„Du hast recht. Joker hat sich verletzt."

Das Pferd hieß also Joker. Arno

streichelte es. Joker war braun mit einem weißen Stern auf der Brust.

Das Hufeisen durfte Arno behalten.

Als er zu seinen Eltern zurückkam, stritten sie sich gerade über die Farbe der Kacheln im Badezimmer.

Arno hörte gar nicht zu.

Wenn ich ein eigenes Zimmer bekomme, dachte er, dann hänge ich dort mein Hufeisen auf.

Dann ging er in den Wald, um neue Spuren zu suchen.

Klaus-Peter Wolf wurde 1954 in Gelsenkirchen geboren. Er arbeitete nach dem Abitur bei einer Lokalzeitung, organisierte ein Jugendheim und vagabundierte als zaubernder Clown kreuz und quer durch Europa. Dabei schrieb er Geschichten über sich und seine Freunde, die immer mehr Leser fanden. Klaus-Peter Wolf erhielt zahlreiche Preise für seine Bücher.

Jrmtraut Teltau wurde 1953 in Hamburg geboren. Nach dem Abitur 1973 studierte sie Jllustration an der Fachhochschule für Gestaltung. Danach begann sie freiberuflich als Jllustratorin für verschiedene Verlage zu arbeiten. Jnzwischen hat sie an die 30 Bücher illustriert, hauptsächlich Kinder- und Jugendbücher.

Leselöwen

Der bunte Lesespaß

Adventsgeschichten
Bärengeschichten
Cowboygeschichten
Dinosauriergeschichten
Drachengeschichten
Fußballgeschichten
Geburtstagsgeschichten
Geistergeschichten
Geschwistergeschichten
Gespenstergeschichten
Glaubensgeschichten
Gruselgeschichten
Hexengeschichten
Hundegeschichten
Jndianergeschichten
Kinderwitze 4
Kinderwitze 5
Kuschelgeschichten
Monstergeschichten
Opageschichten
Ostergeschichten
Pferdegeschichten
Ponygeschichten
Räubergeschichten
Rittergeschichten
Scherzfragen
Schlummergeschichten
Schmunzelgeschichten
Schulhofgeschichten
Schulklassengeschichten
Seeräubergeschichten
Teddygeschichten
Tennisgeschichten
Ungeheuergeschichten
Unsinngeschichten
Vampirgeschichten
Weihnachtsgeschichten
Weltraumgeschichten
Werd-gesund-Geschichten
Wintergeschichten
Zählgeschichten

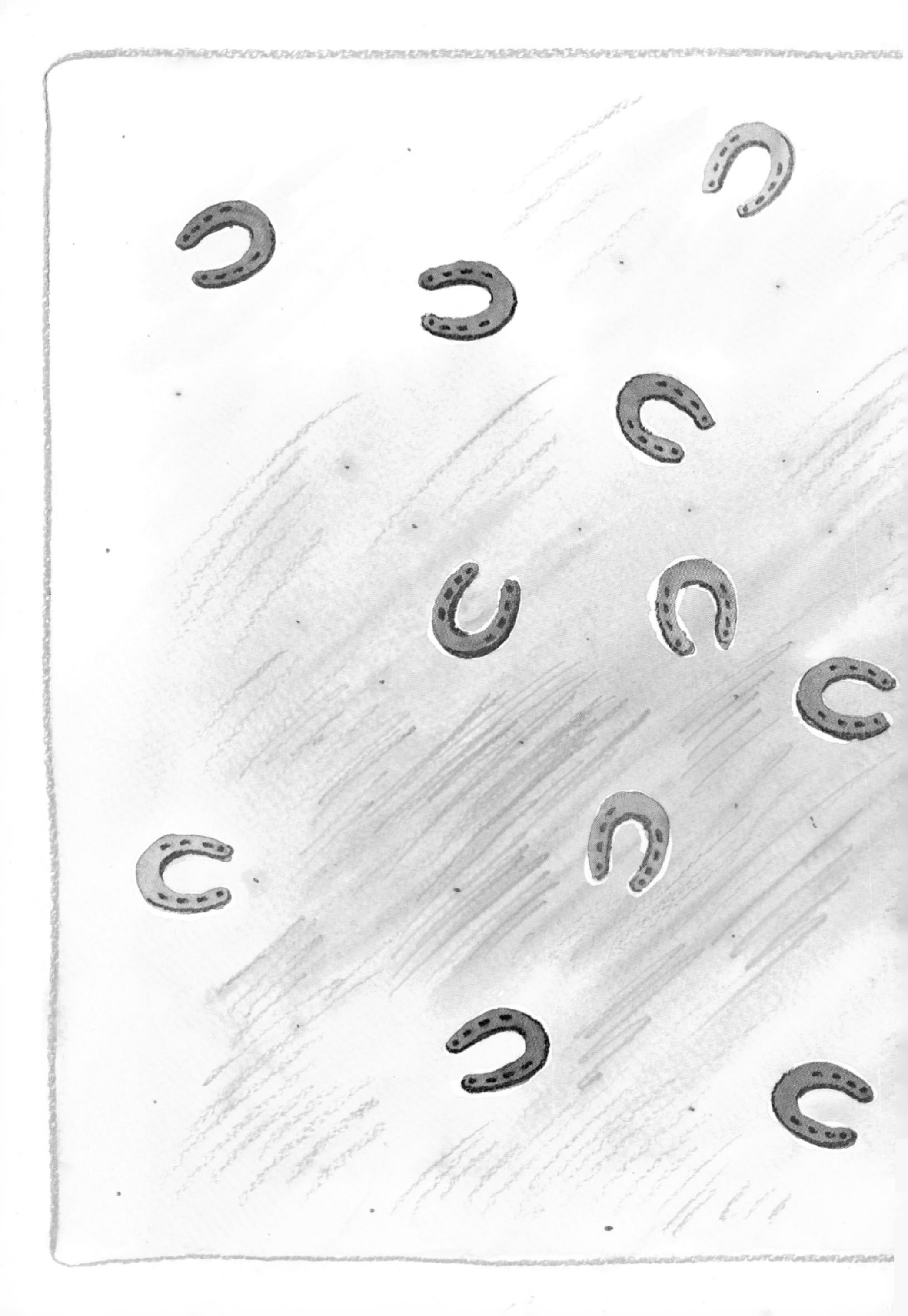